# Judy Moody
### voyante extralucide

Édition originale parue sous le titre :
*JUDY MOODY PREDICTS THE FUTURE*

©2003 Megan McDonald pour le texte
©2003 Peter H. Reynolds pour les illustrations
©2003 Peter H. Reynolds pour la police Judy Moody

Publié en accord avec Walker Books Limited, London SE11 5HJ

©2006 Calligram
Tous droits réservés
Imprimé en Italie
ISBN : 2-88480-250-9

# Judy Moody
## voyante extralucide

## Megan McDonald

illustré par Peter H. Reynolds
Traduit par Alice Déon

©ALLIORAM
CHRISTIAN ()ALLIMARD

Avant d'être auteur à plein temps, **Megan McDonald** fait des études de littérature jeunesse, puis travaille dans des librairies, bibliothèques et écoles. Elle vit en Californie avec son mari Richard, deux chiens, deux chevaux et une quinzaine de dindes qui adorent se percher sur leur portail. « Le grand talent de Judy, raconte-t-elle, c'est de transformer la vie de tous les jours en événements formidables.

Quand j'étais enfant, j'ai ressenti toutes les humeurs de Judy. Comme elle, je détestais me lever le matin, comme elle j'étais une vraie collectionneuse, d'insectes par exemple, car je voulais être scientifique. La seule grande différence, c'est que Judy, elle, sait se faire entendre, tandis que moi, arrivant après quatre sœurs, c'était très difficile. Mon père nous racontait des histoires tous les soirs et je ne pouvais jamais poser de questions car on ne m'écoutait pas, j'en suis même arrivée à bégayer ! Alors, quand ma mère m'a offert un *notebook,* j'ai commencé à écrire tout ce que je n'arrivais pas à exprimer. C'est sans doute mon père qui m'a donné cette passion d'écrire. Il partait de n'importe quel petit événement et le rendait extraordinaire. Tout cela m'a donné l'envie de créer un personnage qui passait par toutes sortes d'humeur mais qui, elle, les exprimait fortement.

En fait, j'ai surtout envie de montrer que quand tout ne va pas comme on veut, il suffit souvent d'un peu de sens de l'humour pour passer outre. Judy, d'une façon ou d'une autre, se débrouille toujours pour que tout se termine bien. »

Dès l'âge de 7 ans, **Peter H. Reynolds** « publie » ses premiers journaux, livres et magazines avec Paul, son frère jumeau. Après des études d'Art, il crée sa compagnie de production. Peter dit que sa mission est de « conter des histoires qui comptent ». Il habite le Massachussets avec sa famille. « Judy, dit-il, a pris une telle place dans ma vie, que j'ai quelquefois l'impression qu'elle habite la porte d'à côté. »

Pour Barbara Mauk et tous les lecteurs
du Parkview Center School
M.M.

Pour Dawn Bailey, grand manitou
du temps et de l'espace
P.B.R.

# Qui est qui ?

## Judy
Madame M. comme Moody,
alias l'Ortho-dormeuse.

## Papa
Le père de Judy.
Spécialiste ès pâtes
et maître chauffeur des expédition
chez Câlins et Canines.

## Maman
La mère de Judy.
Milite pour le brossage de cheveux
et contre les coiffures à la T. rex.

## Stink
Le petit frère de Judy –
voleur de bagues d'humeur
et raisonneur de première.

## Mouse
Le chat de Judy.
Archi-prévisible – à moins que ?

## Melle Cinno
La Dame aux Pastels

## Rocky
L'ami de Judy
salamo-phage

## Monsieur Carpo

Le maître de Judy,
alias M. Lunettes-Neuves.

## Frank Pearl

es bagues d'humeur ne mentent pas.
L'ami de Judy est-il VRAIMENT
amoureux d'elle ?

## Jessica

Camarade de classe de Judy.
FJessica Plume d'Or Finch.
Fière de son autocollant Thomas
Jefferson. N'a jamais mis les pieds
en Antarctique.

# La bague d'humeur

Judy Moody avala un, deux, trois bols de céréales. Pas la moindre surprise à l'horizon. Elle se versa quatre, cinq, six bols de céréales. Rien. Sept. La voilà, enfin ! Elle déchira l'emballage en papier.

Une bague ! Une bague en argent avec une drôle de pierre au milieu. Une bague d'humeur ! Avec une petite carte.

## DE QUELLE HUMEUR ES-TU ?

| | |
|---|---|
| NOIR | Rogne, Grogne ! |
| AMBRE | Stress, Trac ! |
| VERT | Jalousie, Envie ! |
| BLEU-VERT | Calme, Relax ! |
| BLEU FONCÉ | Tristesse, Cafard ! |
| BLEU CIEL | Bonheur, Bien-être ! |
| MAUVE | Extase, Petit nuage ! |
| ROUGE | Amour, Passion ! |
| NOTICE OFFICIELLE DE LA BAGUE D'HUMEUR | Place la bague sur ton doigt ou appuie ton pouce sur le centre de la bague pendant 3 secondes pour « connaître ton humeur ! » |

DE QUELLE HUMEUR ES-TU ? demandait la carte.

Judy glissa la bague à son annulaire. Elle posa son pouce sur le centre de la bague, puis ferma les yeux très fort. Mille, deux mille, trois mille. Pourvu que la bague vire au mauve. Mauve c'était le top. Mauve c'était *Extase. Petit nuage.*

Enfin, elle osa regarder. Oh, non ! La bague était noire. Et pas besoin de notice pour comprendre ce que ça voulait dire. Noir signifiait *Rogne. Grogne* ! Noir c'était pour les humeurs exécrables !

J'ai mal compté, se dit Judy en fermant les yeux et en appuyant de nouveau sur la bague. Cette fois, elle ne pensa qu'à des choses agréables. Des choses heureuses.

Elle pensa à la fois où Rocky, Frank et elle avaient placé une fausse main dans les toilettes pour faire peur à Stink. À la photo de son coude dans le journal. La montagne de bouteilles ramassées par la classe de CM1-B pour planter des arbres dans la forêt vierge. Des choses mauves. Des chaussettes, des rochers et des bâton-nets glacés aux fruits.

Judy Moody ouvrit les yeux.

Rien à faire. La bague demeurait noire.

Une bague d'humeur pouvait-elle se tromper ? Judy en doutait. Surtout une bague avec notice.

Elle mit son pouce à refroidir sur un glaçon et retenta l'expérience : Noir.

Elle fit couler de l'eau chaude sur son pouce, puis réessaya. Noir, noir, toujours plus noir. Pas un filet de mauve.

Je dois être de mauvaise humeur sans le savoir, pensa Judy. Mais qu'est-ce qui a pu me contrarier ?

Judy Moody partit en chasse d'une contrariété.

Elle trouva son père en train de planter des bulbes d'automne dans le jardin.

– Papa, dit-elle, tu m'emmènes chez Câlins et Canines ?

Judy détestait que son père soit trop occupé pour la conduire à l'animalerie : c'était la mauvaise humeur assurée.

– Bien sûr, répondit Papa. Si tu m'accordes le temps de me laver les mains.

– Vraiment ?

– Vraiment.

– Mais tu as l'air occupé. Et puis j'ai des devoirs.

– C'est bon. J'ai presque terminé. Je me lave les mains et on y va.

– Et mes devoirs ?

– Tu les feras après le dîner.

– Oublie, dit Judy.

– Oublie ? répéta son père interloqué.

Judy Moody avait besoin d'une mauvaise humeur vraiment légitime.

Elle ne supportait pas que sa mère l'envoie se brosser les cheveux. Judy Moody défit ses couettes. Ses cheveux se dressaient comme des crêtes de T. rex. Quelques mèches rebelles lui tombaient dans les yeux.

Elle trouva sa mère en train de lire dans le fauteuil rose.

– Salut, maman.

– Salut, ma chérie, répondit sa mère avec un grand sourire.

– Tu ne dis rien ?

– Que veux-tu que je dise ?

– Je ne sais pas, moi. Un truc du genre « Va te donner un coup de brosse. Tu ne vois rien avec ces cheveux dans les yeux. T'es encore coiffée à la T. rex. »

– C'est à cause des couettes, ma chérie. Ça s'arrangera après le bain ce soir.

– Mais si quelqu'un arrivait et frappait à la porte, là maintenant ? demanda Judy.

– Qui par exemple ? Rocky ?

– Non, le président des États-Unis, par exemple.

– Tu n'auras qu'à dire au président que tu reviens dans un instant. Le temps de courir dans ta chambre et de te brosser les cheveux.

C'était même pas la peine d'insister. Il

lui fallait Stink. Si quelqu'un pouvait mettre Judy d'une humeur exécrable, d'une humeur de dogue, c'était bien son frère.

Elle monta à l'étage et entra dans la chambre de Stink sans même frapper.

– Stink ! Où sont mes affaires de médecin ?

– Quelles affaires de médecin ? J'ai rien touché.

– C'est toujours toi qui me les piques.

– Tu m'as dit d'arrêter.

– Et t'es obligé de faire tout ce que je te dis ? râla Judy, furax.

Elle fixa sa bague.

– Cette bague ment.

Elle l'arracha et la jeta à la poubelle.

Stink alla la repêcher.

– Une bague d'humeur ? Cool !

Il essaya la bague. Elle vira au noir. Aussi noir que des ailes de chauve-souris.

– Tu vois ? dit Judy. Elle est bidon.

Stink appuya sur le centre avec son pouce. La bague devint verte ! Verte comme un cou de tortue. Verte comme un ventre de crapaud.

Judy n'en croyait pas ses yeux.

– Montre-moi ça !

La pierre était bien verte.

– Stink, tu peux me rendre ma bague d'humeur maintenant.

– Tu l'as jetée, rétorqua Stink en la narguant avec la bague. Elle est à moi maintenant.

– Berk ! Vert comme ver-mine.

– Même pas vrai ! fit Stink en haussant les épaules.

– Vert c'est l'envie. Vert de jalousie. Vert signifie que tu voudrais être moi.

– Ah, oui ? Et pourquoi, puisque tu n'as pas de bague d'humeur ? se défendit Stink.

– Allez Stinker. J'ai avalé sept bols de céréales pour cette bague. J'ai renoncé à une visite chez Câlins et Canines. Je me suis gelée et je me suis brûlée pour cette bague.

– N'empêche qu'elle est à moi, dit
Stink.

– GRRRR ! grogna Judy.

# Am-stram-gram

Le lendemain, Judy se réveilla d'une humeur massacrante. D'une humeur de pain-grillé-calciné. D'une humeur à faire virer les bagues d'humeur au N-O-I-R.

Si seulement elle parvenait à convaincre Stink qu'elle possédait des pouvoirs magiques. Une personne avec des pouvoirs magiques devait porter une bague magique. C'était logique. Quel intérêt de confier une bague d'humeur à un être dépourvu de pouvoirs magiques ?

Où était ce Stink-qui-pue ? Au salon, sûrement, encore plongé dans une encyclopédie.

Judy dévala l'escalier quatre à quatre et trouva son frère vautré au milieu des encyclopédies, un doigt dans la bouche, à remuer sa dent branlante.

– Gagné ! clama Judy. Je viens de prédire que tu serais en train de lire l'encyclopédie. J'ai des pouvoirs magiques, des pouvoirs extralucides, des pouvoirs de divination de l'avenir !

– Fastoche. Je passe mon temps à lire l'encyclopédie. Je suis à quelle lettre ?

– M, hasarda Judy.

– Perdu ! « S » !

– N'empêche que j'ai prédit l'encyclopédie !

Il fallait une autre idée. Judy se rendit
à la cuisine et rapporta une croquette au
thon pour Mouse.

– Je prédis que Mouse s'apprête à entrer
dans cette pièce.

Elle agita la croquette au thon dans
son dos sans que Stink puisse la voir.
Mouse apparut en se dandinant.

– Mouse ! s'exclama Judy. Quelle surprise ! Sauf que… je l'avais prédit ! Ha, ha !

– Mouse vient toujours nous rejoindre
où qu'on soit.

– Et si je te disais que je sais lire les pensées de Maman ?

– Je préfère lire l'encyclopédie.

– Stink, ça suffit, je t'ordonne de venir
avec moi, maintenant ! Il faut que je te

montre mes méga-pouvoirs de transmission de pensée.

Stink suivit Judy dans le bureau de leur mère.

– Salut, Maman, dit Judy. Devine quoi !

– Quoi ? demanda Maman en regardant par-dessus ses lunettes.

– Je sais ce que tu penses.

Judy ferma très fort les yeux, fronça le nez et pressa ses doigts contre ses tempes.

– Tu penses… que tu aimerais bien que je nettoie sous mon lit pour une fois au lieu de t'embêter. Tu penses… que tu aimerais bien que Stink n'attende pas la fin du week-end pour faire ses devoirs.

– Je n'en reviens pas ! C'est exactement ça !

– Tu vois ? dit Judy.

– C'est vrai que tu pensais ça, Maman ?

– Maintenant je prédis que Papa va passer par cette porte.

– Tu as entendu la voiture, protesta Stink.

– D'accord. Mais, c'est au tour de Papa de faire la cuisine. Je prédis des spaghettis.

– Il ne sait faire que des spaghettis ou des macaronis.

Stink courut dans la cuisine. Judy sur ses talons.

– Papa ! Papa ! hurla Stink. Qu'est-ce qu'il y a à dîner ?

– Des spaghettis !

– T'as eu du bol ! lança Stink à sa sœur.

– TP : Transmission de Pensée, expliqua Judy.

– D'accord. Je pense à un chiffre.

– C'est pas comme ça que ça marche.

– Alors, c'est quoi le chiffre ?

Judy attrapa un torchon qu'elle enroula autour de sa tête à la manière d'un turban.

Elle ferma les yeux. Appuya ses doigts contre ses tempes. Émit toutes sortes de bruits bizarres.

– Ali-Baba, abra-cada-bra. Am-stram-gram-et-colégram.

– Ce torchon t'aide pour la TP ? demanda Stink.

– Silence ! Je me concentre.

– Dépêche-toi. Je pense à quoi, là, madame Irma ?

– Que mes pouvoirs sont bidons.

– Vrai.

– Tu penses que la TP devrait aller plus vite, continua Judy.

– Vrai ! Et mon chiffre ?

Le chiffre préféré de Stink était toujours son âge.

– Sept.

– Encore vrai ! Maintenant je pense à une couleur.

– Vert comme vermine ?

– Faux ! Aubergine, dit Stink.

– AUBERGINE ! C'est pas une couleur. C'est même pas une auberge. Aubergine c'est un légume. Un légume gume-gume.

– N'empêche, j'y pensais. Et toi tu as autant de pouvoirs magiques qu'une aubergine. Qu'un légume gume-gume.

– Avoue-le, Stink. J'ai des pouvoirs magiques. Avec ou sans ma bague d'humeur.

– Alors, t'en as pas besoin, conclut Stink en la lui passant sous le nez.

– Une personne douée de dons surnaturels, comme moi, se doit d'avoir une bague d'humeur. Ça va avec la divination, comme une boule de cristal. La bague a-t-elle viré au mauve pour toi ?

– Non.

– La preuve ! Elle ne devient mauve que pour les gens avec des pouvoirs de TP. Elle devient vert-mine-d'eau-croupie pour des asticots d'encyclopédies.

Stink scruta la bague.

– Du reste, je prédis que ton doigt deviendra vert et tombera si tu ne me rends pas ma bague, déclara Judy.

– Je ne l'enlèverai jamais.

– C'est ce qu'on verra.

# Crapotin maison

Samedi matin, Stink lisait l'encyclopédie. Pour changer ! Il taquinait sa dent
branlante. De son doigt bagué, bien
entendu. La bague d'humeur brillait. Elle
scintillait. Elle étincelait. Stink se grattait
la tête avec son doigt à bague au moins
cent fois par minute.

– Stink, tu as des poux ou quoi ? demanda sa sœur.

– Non. J'ai une bague d'humeur !

Il s'étrangla de rire.

Grâce à M. Poux-Plein-La-Tête, Judy sentait approcher une crise sévère de Moody blues. Elle refusait de rester une minute de plus en présence d'une bague-d'humeur-qui-ne-lui-appartenait-pas. Elle avait besoin de réfléchir.

Judy regarda par la fenêtre. Il pleuvait. Elle enfila ses bottes en caoutchouc et courut au fond du jardin se glisser dans la Maison du Club Pipi Crapaud (alias la vieille tente bleue).

*Floc-floc, floc-floc.* C'était un peu triste d'être toute seule dans la maison du club sous la pluie. Elle aurait préféré que les autres membres du Club Pipi Crapaud soient là. Rocky et Frank Pearl, au moins.

Crapotin aussi lui manquait. Elle n'aurait peut-être pas dû le laisser partir. Même si c'était pour le bien de la planète.

*Croâ-Croâ ! Croâ-croâ !* coassaient les crapauds.

*Diinngg !* Judy venait d'avoir une idée, une illumination. Une méga-idée de divination de l'avenir.

Judy Moody avait prédit que Stink lui rendrait la bague illico-presto. Elle avait besoin d'un pot de yaourt, d'un peu de chance et d'un crapaud. Aussi simple que ça.

ⓞ    ⓞ    ⓞ

Judy ouvrit son parapluie et scruta le sol à ses pieds, à la recherche de crapauds.

Elle inspecta le tas de bois. Regarda à l'intérieur du tuyau d'arrosage. Sous la vieille baignoire derrière la cabane.

*Croâ-Croâ ! Croâ-croâ !* Elle entendait un bon millier de crapauds, sans en apercevoir un seul. Il devait pourtant bien y avoir un crapaud qui ressemblait à Crapotin quelque part. Elle ne cherchait quand même pas une cicindèle tigrée des plages du Nord-Est.

Judy était sur le point de renoncer et de rentrer quand elle entendit un bruit. Tout près. Là, sur les marches de la maison. Un bruit du genre *Croâ-Croâ ! Croâ-croâ !*

Mouse !? Mouse faisait des bruits de crapaud ?

Le chat lapait de l'eau dans son bol.

Minute ! Ces bruits de crapaud ne venaient pas de Mouse. Ils venaient du bol de Mouse. Un vrai crapaud vivant nageait dans le bol de Mouse !

Judy respira profondément. Doucement, doucement, le pot de yaourt à la main.

Ha ! Judy piégea le crapaud sous le pot. Elle se demanda s'il ressemblait à Crapotin. Elle souleva un peu le pot pour l'étudier de près.

*Croâ-Croâ ! Boïng !*

D'un bond, le crapaud quitta la marche pour sauter dans l'herbe mouillée.

– Viens, Crapotin, Crapotin. Gentil crapaud. Joli crapaud. Viens voir Judy.

*Croâ-Croâ ! Croâ-croâ !*

– Je t'ai eu !

Cette fois, Judy le tenait entre ses mains.

Il avait la même taille que Crapotin.

Des taches et des verrues et des bosses comme Crapotin. Une rayure blanche dans le dos aussi : tout à l'identique.

– Chips ! s'écria Judy.

Soudain, elle sentit quelque chose de chaud et d'humide dans sa main.

– Crapotin II ! cria-t-elle.

Judy Maligne cacha Crapotin II sous un seau dans la tente, puis partit chercher Stink.

– Stink ! cria-t-elle, dégoulinant dans l'entrée. Viens avec moi dans le jardin, on va chasser des trucs.

Stink ne leva même pas la tête de la page des « S » dans l'encyclopédie.

– S c'est comme Samedi, dit Judy. S

comme Secoue-toi ! S comme ça va Sur-chauffer si tu ne Sors pas.

Stink tourna sa page.

– Tu viens, ou tu te contentes de rester là ?

– Je reste là.

Judy tapa des pieds. Elle tambourina des doigts.

– S comme Silence ! dit Stink. Je suis en train de lire un truc sur un lézard avec une queue qui devient bleue. Un scinque.

– Rien à faire des scinques ! aboya Judy qui, comme tout le monde, avait une passion pour les scinques à queue bleue.

Elle n'était simplement pas d'humeur à S-comme-S'asseoir-en-Silence. Stink avait décidé de l'ignorer. Mais Stink allait devoir sortir. Et vite !

– J'ai déjà vu un scinque qui pue.

– Où ça ?

– Dans le jardin. Allez viens ! On va trouver des scinques !

– Tu crois ? demanda Stink en refermant l'encyclopédie.

– Les scinques adorent la pluie ! décréta Judy.

Stink chercha des scinques dans les fissures des marches à l'arrière de la maison. Il chercha dans le bac à fleurs. Sous l'assiette de Mouse…

– Comment tu sais qu'on va trouver un scinque ? demanda-t-il.

– TP, Transmission de Pensées de scinque. Continue de chercher.

– Je cherche, je cherche.

– Le premier qui trouve un scinque a droit à une glace chez Mimi Grande Gueule. Minute. Qu'est-ce que j'entends ?

Judy ferma les yeux.

– Humm, ba-ba, humm. Nee, nee, nee, neee. Ohmmmm. Je sens une présence.

– Un scinque ?

– J'entends… un bruit.

– C'est un scinque ou quoi ? s'impatienta Stink.

– Ou quoi ? mima Judy.

Elle referma les yeux. Pressa les doigts contre ses tempes.

– Oui ! Je vois une couleur. Marronnasse, verdâtre.

– Tout le jardin est marronnasse, verdâtre.

– Je vois des bosses. Plein de bosses, poursuivit Judy.

– Les scinques n'ont pas de bosses.

– Des bosses, pas de doute.

– Des bosses du genre un tas de feuilles

mortes ? Les scinques raffolent des feuilles mortes.

– Des bosses comme des verrues, précisa Judy. Maintenant je perçois quelque chose qui a à voir avec de l'eau.

Stink regarda autour de lui.

– Il pleut. Y a de l'eau partout.

– J'ai dit quelque chose *à voir* avec de l'eau. *Seau, seau.* Elle essaya désespérément de transmettre une pensée à Stink qui ne captait rien.

– Minute ! La présence me dit quelque chose. Oui, elle me parle. *Croâ-Croâ ! Croâ-croâ !*

– Un crapaud ? La présence serait un crapaud ? s'étonna Stink.

– Oui. Non. Patience. Oui !

– Un crapaud ? Pour de vrai ? Crapotin ? Crapotin te parle ?

– OUI ! dit Judy. C'est Crapotin. Crapotin me parle. CANON !

– Où ? Où est-il ?

– Attends. Non. Désolée. Je l'avais.
Mais je l'ai perdu.

– Non ! supplia Stink. Referme les yeux.
Concentre-toi. Sens sa présence ou
quelque chose.

– Aide-moi.

Stink et Judy se tinrent la main. Ils fer-
mèrent les yeux.

– Répète après moi « am-stram-gram-
sésame-et-macadam »…

– Am-stram-gram-sésame-et-macadam.

– Oui ! Je le vois ! Je vois un seau. Du
bleu. Un toit bleu ? Non. Une tente. Oui.
Une tente bleue !

Stink fonça vers la tente et se jeta sur
le seau. Il le souleva.

*Croâ-Croâ !*

– Crapotin II ! dit Judy.

– Pourquoi *deux* ?

– Deux comme 2$^{\text{ème}}$ aventure, je veux dire !

– Crapotin ! Tu es revenu ! s'écria Stink.

Il serra le crapaud dans ses mains. Un sourire jusqu'aux oreilles. On voyait sa dent branlante.

– Tu m'as manqué. Tu es revenu. Pour de bon. Judy l'avait dit.

– Judy l'avait *prédit*. Tu n'auras qu'à m'appeler Madame Moody. Madame M. pour les intimes.

– C'est vraiment lui ?

– Qui veux-tu que ce soit ?

– Crapotin, je ne voulais pas que tu partes. C'est Judy. Je te jure. Ne t'en vas plus jamais !

Stink tenait Crapotin à deux mains.

– Il peut même me rebaptiser membre du Club Pipi Crapaud s'il veut, dit Stink.

– Beurk !

Stink embrassa Crapotin sur sa petite tête bossue aux yeux globuleux.

– Tu pourrais me rendre ma bague maintenant ? se risqua à demander Judy.

# Madame M. comme Moody

Judy et Stink rentrèrent à l'abri de la pluie. Ils mangèrent des Figolu en buvant du chocolat chaud avec des pailles fantaisie.

– Tu es une vraie voyante, reconnut Stink.

– Je te l'avais dit, répondit sa sœur en mordant dans son biscuit.

– Je pensais que c'était encore un de tes pièges.

– Ouais, ouais. *Scrounch, scrounch.*

– Crapotin est revenu. Et tu le savais. Tu l'as prédit.

– Ouais, ouais.

– Je t'ai pas crue, au début, poursuivit Stink. Mais après j'ai vu le trait noir.

Judy faillit recracher la figue de son Figolu.

– Quel trait noir ?

– Le trait noir au-dessus de son œil droit. Aucun autre crapaud n'a ça. À part Crapotin. C'est comme ça que je l'ai su.

– Montre-moi ce crapaud.

Stink sortit Crapotin du pot de yaourt. Le Docteur Judy Moody lui fit passer un examen complet. Stink avait raison. Il avait bien un trait noir, comme Crapotin.

Se pouvait-il que Judy Moody ait prédit le retour de Crapotin et... que... ?

– Je te rends ta bague d'humeur, déclara son frère.

– Quoi ?

– Ta bague d'humeur. Tu avais raison. Elle revient à quelqu'un avec des pouvoirs de TP. Tiens. Prends-la !

Stink essayait de faire tourner la bague, mais elle était coincée.

– S comme trop *Serré* ! hurla Stink en tendant son doigt. Je n'arrive plus à la retirer ! Au secours ! Mon doigt est vert !

– Stink, calme-toi.

– Mais tu as prédit que mon doigt deviendrait vert et qu'il tomberait. Regarde ! Ça y est, il est vert ! Dépêche-toi ! Il va tomber.

– S comme Savon ! dit Judy.

Judy traîna son frère jusqu'à l'évier et savonna son doigt. Elle tourna la bague. La retourna. La tira. L'arracha. *PLOP !*

– Enfin, à moi ! s'écria Madame Judy M-comme-Moody.

☺   ☺   ☺

Judy Moody se réveilla d'excellente humeur lundi matin. Ce qui aurait pu être un abominable lundi de contrôle de maths ne lui paraissait plus abominable du tout.

Elle écarta son pyjama tigré. Son T-shirt J'AI MANGÉ UN REQUIN aussi. Elle choisit ses vêtements d'humeur de rêve : un pantalon à rayures mauves, un pull-over vert amande garanti anti-gratte avec une étoile, et ses chaussettes à glace de chez Mimi Grande Gueule. Et sa bague d'humeur, évidemment.

Bleu ciel ! Bleu ciel arrivait juste avant mauve ! Bleu ciel signifiait *Bonheur, Bien-être* ! Judy se sentait au comble du bonheur d'avoir récupéré sa bague. Elle était bien dans sa peau.

– Par-fait ! dit-elle à Mouse qui se frottait contre sa jambe.

Dans le bus, elle raconta des blagues de bonne-humeur.

– Pourquoi l'élève de CM1 a-t-elle mangé autant de flocons d'avoine ?

– Je ne sais pas, répondit Rocky. Parce que les flocons de neige avaient fondu ?

– Faux. Pour trouver une bague d'humeur ! dit Judy écroulée de rire.

Elle inventa des blagues durant tout le trajet. Stink se bouchait les oreilles. Rocky se contentait de battre son jeu de cartes magiques.

– Tu ne ris à aucune de mes blagues, se plaignit Judy.

– Je pense au contrôle de maths, dit Rocky. C'est les fractions !

Judy, en temps normal, aurait été inquiète, elle aussi. Pas ce jour-là. Sa bague d'humeur venait de virer au bleu-vert pour *Calme, Relax*.

– Allons, les enfants, dit M. Carpo. Début d'une nouvelle semaine. Une semaine chargée, je sais. Un contrôle de maths aujourd'hui. Un autre d'ortho-graphe demain. Mais dites-vous que nous aurons une visite spéciale la semaine pro-chaine. Lundi. Plus que sept jours. Une artiste ! Et écrivain aussi. Elle a écrit et illustré de nombreux livres sur les pastels.

– Des livres de bébé ? demanda Rocky.

– Vous verrez, c'est très intéressant, poursuivit M. Carpo. Il y a beaucoup à apprendre sur les pastels.

M. Carpo souriait. Depuis quand les pas-tels rendaient-ils les maîtres si heureux ?

En lecture, M. Carpo lut *Le Mystère de la Momie aux yeux rouges.* Judy trouva la réponse avant tout le monde. Lorsque le maître leur demanda d'inventer leur propre mystère, Judy écrivit *Le Mystère de la disparition de la bague d'humeur,* histoire dans laquelle, elle, Judy Moody, résolvait l'énigme.

Toute la matinée, Judy leva sa main à bague d'humeur, qu'elle connaisse la réponse ou pas.

Même M. Carpo ne put s'empêcher de remarquer son manège.

– Tu as une nouvelle bague, Judy ? Tu veux nous en parler ?

– C'est une bague d'hu- meur, expliqua-t-elle. Elle pré- dit des trucs. Du genre l'hu- meur de celui qui la porte.

– Très chouette, dit M. Carpo. J'espère que tout le

monde est d'humeur à faire un contrôle de maths car je vais vous demander de ranger vos livres.

Judy se pencha et demanda à son ami Frank Pearl s'il avait révisé ses fractions.

– Oui, dit Frank. Mais je ne serai tranquille qu'une fois le contrôle passé.

Judy regarda Jessica Finch par-dessus son épaule. Elle avait l'air *Calme, Relax*. Jessica Finch devait manger des fractions au petit-déjeuner : 1/4 de verre de jus d'orange, 1/2 tartine, 3/4 d'un pot de confiture de fraises !

Judy prit son temps pour répondre aux questions. Elle évita de mordiller la gomme de son crayon Grognon, s'abstint de toute grimace grognon en découvrant les questions et aborda même le problème logique dans le *Calme, Relax*.

L'arc-en-ciel a sept couleurs

Problème

Si Judy a une bague d'humeur mauve, Rocky a une bague d'humeur bleue, Frank a une bague d'humeur rouge et Stink une bague d'humeur verte, combien de couleurs de l'arc-en-ciel ont-ils ? (La réponse est une fraction !)

Indice : Il y a quatre bagues d'humeur, autrement dit quatre des sept couleurs de l'arc-en-ciel.

Réponse : 4 / 7 !

Pendant la récréation, tout le monde vint voir Judy.

– Elle vient d'où, ta bague d'humeur ?

– Je peux l'essayer ?

C'était le moment d'épater ses amis.

– Qui veut être le premier ? demanda-t-elle.

– Moi, moi, moi, moi, moi !

La foule se bousculait, se poussait, la suppliait.

– Minute. Avant de commencer, je vais faire une prédiction.

Judy regarda la notice de la bague. Ambre signifiait *Stress. Trac.* Rocky était inquiet à cause du contrôle de maths.

– Madame M. prédit que la bague deviendra de couleur ambre sur le doigt de Rocky, annonça Judy.

Rocky glissa la bague à son doigt. Elle vira au noir.

– Madame M. se T-R-O-M-P-E ! s'écria Rocky.

– Patience ! La bague d'humeur ne ment pas.

Tous s'agglutinèrent autour de Rocky. La bague vira lentement à l'ambre, comme l'avait dit Judy !

– Comment t'as fait ? demanda Rocky.

– Madame M. sait tout, dit Judy. Sur le doigt de Frank, je prédis qu'elle deviendra bleu ciel. Je le sens.

– Ça veut dire triste, bleu ? demanda Frank. Parce que je ne suis pas triste. Et je ne veux pas penser à des choses tristes. Comme quand je n'avais pas de club pour mon Panneau Perso et quand je suis devenu un mille-pattes humain et qu'on m'a cassé le doigt.

– Pleurnicheur ! *Tristesse, Cafard* c'est bleu *foncé.* Allez, essaie la bague !

Frank glissa la bague à son doigt.

Judy croisa les siens et marmonna tout bas « Bleu ciel, bleu ciel, bleu ciel ». À peine une minute plus tard, la bague vira au bleu ciel.

– Chips ! s'écria Judy. Bleu ciel c'est *Bonheur, Bien-être !* Comme moi.

– Oh-oh ! Frank a la même couleur que Judy !

– Frank Pearl et Judy sont amoureux !

– Frank Pearl va se marier ! Avec Judy Moody ! Et il a déjà la bague !

Frank devint rouge comme une tomate. Il se débarrassa dare-dare de la bague en la lançant à Jessica Finch.

– Moi, j'espère qu'elle deviendra rose.

– Le rose n'existe pas. Mais il y a du

VERT, dit Judy avec insistance.

Jessica n'eut pas le temps d'essayer la bague que la cloche sonna la fin de la récréation.

☺   ☺   ☺

En sciences, M. Carpo parla de la météo et du réchauffement de la planète. Judy tailla son crayon avec sa main à bague d'humeur. Elle jeta les épluchures à la poubelle avec sa main à bague d'humeur. Fit passer un mot à Frank avec sa main à bague d'humeur.

Judy ne vit pas du tout arriver le réchauffement de M. Carpo !

– Tu as de la chance d'avoir une bague d'humeur, lui glissa Jessica Finch.

– Il faut manger beaucoup de céréales, murmura Judy un peu trop fort.

– Tu as quelque chose à nous dire, Judy ? demanda M. Carpo.

– Non, Monsieur, répondit-elle en s'asseyant vite sur ses mains.

Mais M. Carpo eut à peine tourné le dos que Judy jouait avec sa bague pour narguer Jessica. Elle la fit tourner. Tournicoter. Tournailler à toute vitesse. Jusqu'au moment où la bague partit en flèche, heurta le bureau de M. Carpo et atterrit à ses pieds.

M. Carpo se pencha et la ramassa.

– Judy, je regrette de devoir confisquer ta bague jusqu'à la fin de la journée.

Judy devint rouge pivoine, puis rouge betterave, puis rouge écrevisse. Même Madame M. n'avait pas prédit que la bague d'humeur lui attirerait des ennuis.

M. Carpo fit glisser la bague au bout de son index puis ouvrit son tiroir. Au moment où il la rangeait, Judy crut apercevoir un éclat de couleur.

Impossible ! Non. Minute. Peut-être. Mais oui ! OUI ! Judy en était à 3/4 sûre ! Elle était sûre à 9/10$^{èmes}$. M. Carpo avait peut-être confisqué sa bague, mais elle, Judy Moody, avait vu ROUGE. Rouge comme Rouge Braise. Rouge comme des pantoufles de rubis.

CANON puissance quatre !

# L'Ortho-dormeur

Ce soir-là, Judy et Frank se donnèrent rendez-vous à la bibliothèque pour réviser leur orthographe.

– Ah ! M. Carpo t'a rendu ta bague d'humeur, s'exclama Frank en la voyant arriver.

– Oui ! répondit-elle en levant la main pour l'admirer.

Plus jamais, jamais, elle n'ôterait sa

bague d'humeur tant qu'elle ne serait pas devenue carrément mauve. Sauf à l'école, bien sûr. M. Carpo l'avait mise en garde : fini les bagues d'humeur à l'école. Tant qu'elle serait à l'école, elle la rangerait en lieu sûr. Cachée dans sa très spéciale boîte à dents de bébé.

– À propos de M. Carpo, tu as vu les mots qu'on doit apprendre ? demanda Frank. C'est pas de la T-A-R-T-E !

Judy regarda la liste.

– Calebasse ! C'est quoi ?

– Aucune idée ! répondit Frank.

Il partit chercher le grand dictionnaire et revint en le portant comme s'il pesait cinquante kilos. Judy l'aida à le poser sur la table avant de l'ouvrir.

– Calebasse, lut-elle à voix haute. Fruit du calebassier.

– De la famille des courges, des citrouilles, continua Frank.

– Canon ! dit Judy.

– Ooh ! J'ai la trouille ! siffla Frank.

– Et moi j'ai la tête comme une citrouille !

– Mais on vient juste de commencer !

– Allons plutôt voir les vieux livres, suggéra Judy.

Frank suivit Judy dans le dédale des étagères.

– Regarde ! C'est quoi ces livres tout noirs et pleins de poussière ?

– Pourvu qu'il n'y ait pas de *fripouilles* cachées ici, susurra Judy d'une voix mystérieuse.

Frank repéra un livre entièrement consacré aux ossements et aux carcasses.

– Des squelettes ! s'écria-t-il.

Judy alla demander conseil à la bibliothécaire.

– Qu'est-ce que tu as trouvé ? demanda Frank à son retour.

– *La divination à portée de main !* Sur les gens qui ont prédit des trucs de l'avenir. C'est Lynn qui m'a aidée à le trouver. La gentille dame avec les boucles d'oreilles en forme de pelles à tarte. Pas le bibliothécaire toc-toc.

– Ah ! Je connais ! C'est la série Grosses Têtes. J'adore. Je me demande pourquoi on les dessine toujours avec de si grosses têtes ?

– Parce qu'il faut de la place pour ranger toutes ces méga-idées sur l'avenir, dit Judy, le doigt sur une grosse tête. Tu te rends compte ? Ils ont prédit des tremble-

ments de terre et des incendies et des naissances...

– Personne ne peut prédire l'avenir, dit Frank. C'est du pipeau, non ?

– Pas du tout ! C'est écrit ici. Les livres ne mentent pas.

– Fais voir.

– Jeane Dixon, Célèbre Voyante Américaine. Originaire de Washington. Elle a regardé fixement ses œufs au plat un matin et a prédit que le Président Kennedy se ferait assassiner. Elle a même prédit un tremblement de terre en Alaska.

– Et aussi que des Martiens descendraient sur terre enlever des adolescents. Si seulement ils pouvaient enlever ma grande sœur.

– Si seulement Stink était un adolescent, rêva Judy.

– Ils disent même que cette Jeane Dixon voyait des trucs dans la crème chantilly !

– Moi aussi, j'ai vu des trucs dans la crème chantilly, intervint Judy. Souvent.

– Comme quoi ?

– Comme des pépites de chocolat !

Tous deux éclatèrent de rire.

– Eh, regarde ça ! s'exclama Judy. Ce livre va nous aider pour notre contrôle d'orthographe. Sérieux.

– Je ne te crois pas.

– Si ! Tu vois ce type ?

– Le chauve au nœud papillon ?

– Ouais. Originaire de Virginie lui aussi. On l'appelait le Prophète Somnambule. À notre âge, du genre il y a cent ans, il s'est fait gronder à l'école parce qu'il ne savait pas épeler. Un soir, il s'est endormi avec sa grammaire sous l'oreiller. Eh bien, au réveil, il connaissait tous les mots du livre. CANON !

– Je préfère réviser, dit Frank.

– Pas moi ! décida Judy en enfilant son manteau à toute vitesse.

– Qu'est-ce que tu fais ?

– Je rentre dormir à la maison, répondit Judy.

☙       ☙       ☙

Quand Judy arriva chez elle, Stink lui ouvrit la porte.

– Pas besoin de réviser pour mon contrôle d'orthographe, s'écria-t-elle en le serrant fort dans ses bras.

– Qu'est-ce qui t'arrive ? demanda Stink.

– Rien !

– Rien, quoi ?

– Rien, c'est juste que demain je vais connaître des tas et des tas de mots du genre « calebasse ».

– Cale quoi ?

– C'est une courge. Une citrouille, si tu préfères.

– Garde ta courge pour d'autres.

Judy était déjà partie chercher le dictionnaire. Le plus gros dictionnaire de la maison Moody. Elle le trouva sur le bureau de sa mère et l'emporta dans sa chambre. Sans l'ouvrir. Sans regarder à l'intérieur. Elle cala le gros dictionnaire rouge sous son oreiller. Et puis elle enfila son pyjama bowling tout doux. Elle s'imagina que les boules de bowling étaient des boules de cristal. En se brossant les dents,

elle crut voir une lettre dans le dentifrice recraché. *D* comme *Dictionnaire.*

Judy se coucha et appuya la tête sur l'oreiller. Aïe ! Trop dur. Elle alla chercher deux autres oreillers. Enfin prête à rêver.

Elle ne dormait pas encore que déjà elle rêvait de remporter la Plume d'Or, comme Jessica Finch l'avait fait pour l'ensemble de l'État de Virginie. Elle rêva du visage souriant de M. Carpo au moment où il rendait les contrôles. Plus que tout, elle rêva qu'elle obtenait une note de 12/10 (zéro faute plus un bonus) à son contrôle d'orthographe.

Elle pouvait à peine attendre d'arriver en classe le lendemain matin. Pour une fois, c'est Judy Moody, pas Jessica (Fiasco) Finch, qui se verrait remettre un autocollant Thomas Jefferson, premier président

des États-Unis d'Amérique, avec un tricorne pour *Bien, félicitations.*

ZZZZZZZzzzzzzzzzzzzzzzzzzzzzzzz...

# hurluberlu saugrenu

Judy se réveilla le lendemain matin le cou aussi raide qu'une courge torticolis. À part ça, sa tête ne lui parut pas plus grosse. Ni plus lourde de tous ces nouveaux mots. Elle se regarda dans la glace. La même Judy que d'habitude.

Au petit-déjeuner, elle se concentra sur ses œufs, comme Jeane Dixon, Célèbre

Voyante Américaine. Elle sentit arriver un tremblement de terre ! Un tremblement de terre déclenché par Stink qui agitait la bouteille de ketchup sur ses œufs.

– Stink, ce que tu fais est *saugrenu* !

– Ça veut dire quoi ? demanda Stink.

– Étrange ou disons pas indispensable, expliqua Maman.

– T'as qu'à penser *hurluberlu,* dit Judy.

CANON ! Le coup du dictionnaire-sous-l'oreiller avait marché ! Des mots compliqués jaillissaient de sa bouche à la vitesse des postillons.

Pas de doute : Judy était d'une humeur mauve, petit nuage, perché au-dessus du monde entier. Quel dommage qu'elle ne puisse pas emporter sa bague à l'école !

Dans le bus, Judy qualifia le nouveau tour de magie de Rocky d'*époustouflant*.

À l'école, Frank lui fit cadeau d'un mini-savon d'hôtel de sa collection.

– Je l'ai déjà, expliqua-t-il.

Judy le remercia de sa *délicate* attention.

Ensuite elle demanda à Jessica (Fiasco) Finch si elle avait *hâte* que commence le contrôle d'orthographe.

– Qu'est-ce qui te prend de parler comme ça ? demanda Jessica.

M. Carpo distribua des feuilles lignées pour le contrôle.

– Plus que quatre jours d'école avant la visite de notre invitée spéciale, souvenez-vous-en, les enfants !

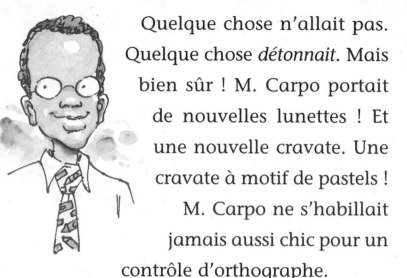

Quelque chose n'allait pas. Quelque chose *détonnait.* Mais bien sûr ! M. Carpo portait de nouvelles lunettes ! Et une nouvelle cravate. Une cravate à motif de pastels ! M. Carpo ne s'habillait jamais aussi chic pour un contrôle d'orthographe.

– Vos nouvelles lunettes sont *épatantes,* commenta Judy.

– Merci Judy, dit M. Carpo avec un sourire niais.

Pendant le contrôle, le crayon Grognon de Judy Moody se sentit des ailes. Judy épela *algue* et *albatros. Sorcier* et *cartilage.* Elle se servit à peine de sa gomme, sauf pour *brocoli,* un c ou deux cc ? Et réussit même à faire une phrase avec le mot bonus ! *Pastel.* Quelle idée aussi de prendre pastel pour mot bonus ? M. Carpo avait des pastels dans le cerveau. Aucun doute là-dessus.

*Madame M. prédit que la Dame aux Pastels rendra bientôt visite à la classe de CM1 pour voir la cravate pastel de M. Carpo.*

La phrase bonus de Judy faisait presque un paragraphe entier ! En plus, elle avait utilisé le mot deux fois ! C-A-N-O-N ! C-A-N-O-N !

Judy termina la première, avant Jessica Plume d'Or Finch qui n'utilisait même pas son crayon porte-bonheur ! Il fallait être zinzin !

❧          ❧          ❧

À l'heure du goûter, Judy Moody se sentit d'humeur à prédire l'avenir.

– Attendez avant d'ouvrir vos sacs, dit-elle à la ronde. Madame M. va prédire ce qu'ils contiennent.

– Dépêche-toi, dit Rocky. J'ai faim !

Judy ferma les yeux. C'était facile.

– Je vois du salami. Des sandwichs au salami.

Rocky, Frank et Jessica sortirent chacun un sandwich au salami.

Ils n'en revenaient pas. Arriva alors le moment qu'elle attendait.

– J'ai encore une prédiction, dit Judy à voix haute. Une prédiction pour demain. Un grand événement. Une première en classe de CM1-B.

– Vraiment ? Dis-nous ! Quoi ?

– Moi, Judy Moody, je prédis que j'aurai zéro-faute-plus-un-bonus en ortho-graphe ! 12 sur 10 ! Que ça se sache !

– T'as rien trouvé de plus saugrenu, farfelu ? ricana Jessica.

– Sans réviser ? s'étonna Frank.

– Tu n'as jamais eu zéro-faute en orthographe, lui rappela Rocky.

– On croit avoir des amis…, soupira Judy.

Quelle bande de mangeurs de salami, vraiment !

– Ça, poursuivit-elle, c'était avant de devenir une Ortho-dormeuse, avant d'apprendre à dormir avec un dictionnaire sous l'oreiller.

– Mais M. Carpo ne nous a pas encore rendu nos contrôles, protesta Frank. Tu ne sais pas si ça a marché.

Judy roula des yeux. Elle émit des bruits de méditation.

– Hmmm, baba, hmmm. M. Carpo est en train de corriger nos copies. Je vois un

autocollant Thomas Jefferson. Un chapeau tricorne. Une mention *Bien, félicitations.*

– T'es complètement givrée, conclut
Rocky.

– Tu n'as qu'à m'appeler l'Ortho-dormeuse.

# En Antarctique

Judy prédit qu'il allait être difficile de
tenir en place jusqu'à ce que M. Carpo se
décide à rendre les contrôles d'orthographe. Elle ne se trompa pas. Elle eut été
assise sur une fourmilière, cela lui aurait
fait le même effet. Judy Moody était plus
agitée qu'un haricot sauteur.

Les voilà enfin.

– Bien. Continuez comme ça, disait M. Carpo qui faisait le tour de la pièce en rendant des copies et distribuant des biscuits.

Des biscuits en forme de cœur. Avec des pépites de chocolat. En chantonnant. Gai comme un pinson ! M. Carpo ne chantonnait jamais ! Jamais il n'apportait de biscuits en forme de cœur avec du chocolat dessus. Même pas à la Saint-Valentin, ce qui n'était pas le cas aujourd'hui.

Ce devait être un signe. Un signe, qu'elle, l'Ortho-dormeuse, avait *hyper-vertigineusement* bien réussi son contrôle. Rien de tel pour mettre M. Carpo de bonne humeur.

Plus qu'une minute à attendre et le cours CM1-B verrait qu'elle, Madame M., captait des TPO – *Transmissions de Pouvoirs Orthographiques*. Comme Jeane Dixon, la

Célèbre Voyante Américaine. Et l'Ortho-dormeur.

Moins d'une minute plus tard, Judy avait récupéré sa copie. Et le dernier bis-cuit : un cœur brisé.

Cher M. le Président ! Quelque chose n'allait pas ! Elle ne voyait pas d'autocol-lant Thomas Jefferson. Pas plus de prési-dent que d'autocollant. Rien qu'une plume. Une vieille plume miteuse, pous-siéreuse, une plume dessinée au tampon. Une plume d'oie pour écrire. Une plume signifiait *Encore un petit effort.* Une plume signifiait *Peut mieux faire.* Une plume était aussi saugrenue que malvenue.

En bas de la feuille, M. Carpo avait écrit : deux *l* à *tortillon. Zigzag* s'écrit en un mot.

Judy ne voyait déjà pas pourquoi on

avait besoin de « l » pour écrire *tor-ti-on.* Et *zig* et *zag* avaient l'air de deux mots parfaitement distincts. Qui avait écrit le dictionnaire pour commencer ? M. Dictionnaire et M. Universel allaient entendre parler d'elle.

Tous les regards se braquèrent sur Judy. Elle vira au rouge comme un camion de pompiers. Rouge à enfouir son visage entre ses mains. Rouge comme le gros dictionnaire.

L'Ortho-dormeuse était pure frime. L'Ortho-dormeuse était bidon de A à Z.

Peut-être que Jessica (Fiasco) Finch avait eu une vieille plume poussiéreuse et miteuse elle aussi ! Judy reconnut une pensée de mauvaise humeur. Elle savait qu'elle était censée ne regarder que sa propre copie. Mais c'était plus fort qu'elle. Elle se retourna.

Jessica Finch rayonnait. Jessica Finch resplendissait. Comme le jour où elle avait été couronnée Plume d'or et s'était retrouvée dans le journal. Jessica Finch se tenait droite et fière comme un président. Elle leva sa feuille pour que Judy la voie.

– Je le savais ! murmura Jessica. J'ai eu un tricorne Thomas Jefferson.

Un tricorne ne signifiait pas fiasco. Ni

même *Ne baissez pas les bras. Persévérez dans cette voie. Faites davantage d'exercices !* Un tricorne voulait dire *Chapeau !*

– Tu le savais comment ?

La voyante c'était elle, pas Jessica Finch.

– J'ai fait appel à mon cerveau, répondit Jessica. Certaines personnes ont révisé.

Judy était verte de *Jalousie, Envie.* Et elle n'avait pas besoin de sa bague d'humeur pour le savoir.

La classe bourdonnait. Tous les élèves fondirent sur Judy comme un essaim d'abeilles.

– Alors l'Ortho-dormeuse ?

– L'Ortho-dormeuse ne s'est pas réveillée !

Judy les fustigea d'un regard de calebasse enragée.

– Du calme, s'il vous plaît, dit M. Carpo-Pinson. Dois-je vous rappeler qu'on ne s'intéresse ici qu'à sa propre copie ?

– Mais Monsieur, Judy Moody *avait prédit.* C'est vrai. Elle avait prédit qu'elle aurait 12 sur 10 pour un travail sans faute. Elle s'est TROMPÉE !

– Personne ne peut vraiment prédire l'avenir, dit Rocky. N'est-ce pas, Monsieur ?

– La vérité c'est que chacun d'entre nous joue un rôle déterminant dans son avenir, répondit M. Carpo. Alors, à l'avenir, j'espère que vous allez vous concentrer sur votre propre travail, pas sur celui de votre voisin.

Cela fit taire tout le monde.

– Maintenant, passons aux sciences. Sortez vos cahiers de météo.

Judy ne sortit pas son cahier de météo.

Elle était trop occupée à comparer son contrôle à celui de Jessica Finch.

– Judy, appela M. Carpo, je crains que tu n'aies pas entendu un mot de ce que j'ai dit. Je vais devoir te demander d'aller en Antarctique.

En Antarctique !

L'Antarctique était le pupitre au fond de la classe devant la carte avec beaucoup d'icebergs et beaucoup de pingouins. Et une pancarte qui disait DU CALME. Elle aurait aussi bien pu lire ÇA VA CHAUF-FER.

Judy regarda M. Carpo. M. Pinson, M. Lunettes-Neuves, M. Cravate Pastel, le maître qui distribuait des biscuits en forme de cœur s'était évanoui. M. Cra-paud était de retour.

Elle baissa la tête et se dirigea vers le

pupitre du bout du monde. Jessica Finch était Thomas Jefferson. Judy Moody, elle, était présidente de l'Antarctique.

Judy aurait pu cracher de colère. Comment Madame M. allait-elle prédire l'avenir si elle n'était même pas capable de prédire un contrôle d'orthographe minable ?

Prédire la météo était encore dans ses cordes. Et il faisait froid en Antarctique. Assez froid pour geler les crachats.

– Voyons, dit M. Carpo. Qui veut être notre météorologue du jour ? Des prévisions, quelqu'un ?

Un bulletin météorologique d'Antarctique : nuageux sans le moindre autocollant Thomas Jefferson à l'horizon.

# La question
# de la dernière chance

– Alors, c'est comment l'Antarctique ? demanda Jessica Finch lorsque Judy regagna sa place.

– Glacial.

Qu'est-ce que ça pouvait lui faire de toute façon ? Jessica savait sans doute épeler le mot Antarctique. Même sans dormir sur le dictionnaire.

Judy ronchonnait. Elle était dépitée. Dégoûtée. Plus maussade que maussade. Elle, Madame M. comme Malaise, ne savait pas prédire l'avenir – pas plus le sien que celui des autres. Elle ne savait même pas prédire ce qui arriverait une heure plus tard. Ni une minute. Ni une seconde. L'avenir était *im-prévisible*.

C'était décidé. Judy renonçait sur-le-champ à prédire l'avenir. Une fois pour toutes. Elle avait le blues, un sévère coup de cafard.

Elle se traîna jusqu'à la fontaine à eau pendant la récréation.

– Ju-dy ? Ça ne va pas ? demanda Jessica Finch.

– Je suis nulle. Pipeau. Je ne sais pas prédire l'avenir. Appelle-moi Madame Pipeau-Bidon.

– Entendu, Madame Pipeau-Bidon ! rétorqua Jessica Finch avec son rire de hyène. Comme tu voudras. Mais je connais un truc qui dit l'avenir sans jamais se tromper.

Judy s'aspergea d'eau. Pourquoi Jessica Finch était-elle si calée en voyance ?

– Vraiment ?

– Vraiment.

– Jamais ?

– Jamais ! insista Jessica. Je te l'apporterai demain. Pense à une question importante. Quelque chose qui te tracasse. Quelque chose qui t'embête depuis un moment – une question de la dernière chance.

– La dernière chance de quoi ?

– Une question méga-importante, si tu
préfères.

☙       ☙       ☙

Judy était curieuse de voir ça. Si curieuse qu'elle arrivait à peine à dormir, même
avec le gros dictionnaire rouge sous son
oreiller.

Judy réfléchit et réfléchit. Elle réfléchit
à ce qui avait pu la tarabuster. Elle chercha un truc qui avait pu la turlupiner. Et
elle trouva une question de la dernière
chance.

☙       ☙       ☙

Le jeudi matin, Judy arriva à l'école

plus tôt que d'habitude. Elle courut vers
Jessica Finch.

– Tu y as pensé ?

Jessica ouvrit son sac à dos en plastique
rose et sortit une boule jaune vif avec un
grand visage souriant dessus.

– Ma Magic 8 Ball ! s'écria-t-elle.

– Mais c'est pas une vraie, elle n'a rien
de magique, celle-là, se plaignit Judy.

– Mais si. Regarde.

– Est-ce que je serai toujours première en orthographe à l'École Primaire Virginia Dare ? demanda Jessica à sa boule magique.

La réponse s'afficha au centre de la petite fenêtre, sur un triangle flottant dans le liquide bleu.

*Tu es une gagnante.*

– Tu vois ? À toi, dit Jessica.

Judy décida de la tester avec une question bidon.

– Est-ce qu'un jour ma bague d'humeur deviendra mauve ?

Judy regarda la boule.

*Tu es ravissante.*

– Est-ce que ma bague d'humeur deviendra mauve ?

*Jolie tenue.*

– Tu ne poses pas la bonne question, intervint Jessica.

Judy secoua la boule vivement.

– Est-ce que je deviendrai médecin plus tard ?

*Tu es un génie.*

– Est-ce qu'on me mettra un jour un autocollant Thomas Jefferson en orthographe ?

*Tu as beaucoup d'humour.*

– Maman et Papa seront-ils fâchés pour le contrôle d'orthographe ?

*Ton haleine est délicieusement fraîche !*

– C'est quoi ces réponses à la noix ? demanda Judy.

– C'est une Boule Positive, dit Jessica. Elle ne donne que des réponses heureuses.

– Nul ! décréta Judy. Ta Magic 8 Ball est bidon !

– Bidon mais elle fait du bien.

– Je ne vais pas lui poser ma question de la dernière chance. Elle me donnera une réponse positive quoi qu'il arrive.

– Exact.

– Comment veux-tu croire ce que prédit cette boule si elle passe son temps à dire des choses mielleuses ? demanda Judy.

– Je m'en fiche, dit Jessica. J'aime ma Boule Positive.

– Moi, j'ai besoin d'une Boule Négative ! décida Judy. Qui dit la vérité.

Et elle savait très bien où la trouver.

Judy persuada Rocky et Frank de l'accompagner à la supérette après l'école. Stink se joignit à eux.

– J'espère que tu ne vas pas racheter une fausse main pour me faire peur, dit-il.

– Non. Je vais acheter une boule de cristal.

Arrivée au magasin, Judy conduisit son petit monde vers le rayon des jouets. Ils virent des cartes de troll à échanger, une tirelire en forme d'œil et des gommes-chats. Soudain Judy avisa ce qu'elle cherchait. Une boule noire avec un vrai 8 écrit dans un cercle blanc.

– Une Magic 8 Ball ! La vraie !

– Cette boule de cristal est en plastique, dit Stink.

– N'empêche qu'elle prédit l'avenir.

Judy tenait la Magic 8 Ball dans la paume de sa main. Elle se sentait déjà investie de pouvoirs magiques.

– Chacun a droit à une question, dit Judy. Qui veut être le premier à interroger l'omnisciente Magic 8 Ball ?

– Moi, moi, moi ! s'écria Frank.

– Ok, dit Judy en lui passant la boule.

– Est-ce que j'aurai un distributeur de malabars pour mon anniversaire ?

– Tu as oublié de fermer fort les yeux et de te concentrer, gronda Judy.

Frank ferma les yeux très fort. Il se concentra. Reposa sa question et secoua la Magic 8 Ball. Tous se penchèrent pour regarder le message s'afficher dans la petite fenêtre.

*Pas sûr.*

– J'espère que ce truc ment, dit Frank.

– À moi, dit Rocky, en prenant la boule et en la secouant. Est-ce que Frank Pearl aime Judy Moody ?

*Tout porte à le croire.*

– C'est tellement drôle que j'ai oublié de rire, marmonna Frank.

– Rends-moi ça, ordonna Judy.

– C'est mon tour, glapit Stink.

– Tu n'as droit qu'à une question, alors ne te trompe pas, l'avertit sa sœur. Et dépêche-toi.

– Est-ce que je vais devenir président un jour ?

*Oublie.*

– Est-ce que mon petit frère a bientôt fini de me rendre *ma-boule* ? demanda Judy.

*Question à ne pas poser.*

Stink lui arracha de nouveau la Magic 8 Ball.

– Est-ce que Rocky aime Judy ?

– Tu vas énerver ma boule magique, gronda Madame M. de sa voix pleine de mystère.

Elle plongea son regard dans la petite fenêtre.

– Une bulle d'air ! T'es content ? Tu as épuisé tes questions, annonça Madame M. Maintenant, il faut la remettre à sa place.

– Pourquoi ?

– Bulle d'air ! C'est la règle !

Stink, Rocky et Frank partirent acheter des malabars.

– Je vous rejoins, cria Judy.

Judy Moody ne remit pas la Magic 8 Ball sur l'étagère. Elle avait une dernière question. La chose qui la turlupinait depuis des jours et des jours. Sa question de la dernière chance.

Judy regarda autour d'elle. Elle se concentra. Secoua la Magic 8 Ball.

– Est-ce que M. Carpo est amoureux ? murmura Judy.

*Réponse incertaine. Repose ta question.*

Judy ferma les yeux. Elle retint sa respiration. Elle prononça quelques mots magiques.

– Am-stram-gram et télé-gramme, dit-elle. M. Carpo est-il amoureux ?

Elle secoua la Magic 8 Ball. Une dernière fois encore. Enfin, elle ouvrit les yeux.

La voilà ! La réponse. Au milieu de la fenêtre. Un petit triangle flottant dans du liquide bleu.

*Pas de doute.*

# Opération parfait Amour

Judy s'allongea sur son lit superposé, le regard perdu dans les étoiles fluorescentes au plafond. C'était évident. La bague rouge. Les nouvelles lunettes, le chantonnement, les petits gâteaux en forme de cœur. Tout portait à le croire. Sa meilleure prédiction de toutes. Il suffisait d'ouvrir les yeux. D'utiliser son cerveau. De rassembler les morceaux. M. Carpo était amoureux !

Madame M. allait enfin pouvoir prédire quelque chose de vraiment, véritablement grand. De vraiment, véritablement vrai. Quelque chose qu'elle, Judy Moody, était seule à savoir. Judy élabora un nouveau projet. Un projet parfait, infaillible, sûr, de divination-extralucide-de-l'avenir. Il suffisait de convaincre M. Carpo d'essayer la bague d'humeur. Elle devait s'assurer une fois pour toutes qu'elle devenait rouge comme *Amour. Passion* !

Un seul problème : M. Carpo lui avait interdit d'apporter la bague d'humeur en classe.

⊚      ⊚      ⊚

Le vendredi matin, Judy prépara sa bague d'humeur. Elle ne la porta pas au doigt. Elle la rangea dans sa boîte à dents de bébé puis dans la poche secrète de son sac à dos. Elle ne la montrerait à personne. Jusqu'à la fin de la journée.

Jusqu'au moment de l'Opération bague d'humeur. L'Opération Parfait Amour. Car le Docteur Judy Moody était sûre à 3/4 et certaine à 9/10$^{èmes}$ que la Magic 8 Ball ne mentait pas. Il s'agissait maintenant de s'en assurer à 110%.

– M. Carpo, dit Judy en sortant la bague de sa cachette secrète. Je sais que je ne suis pas censée apporter ma bague d'humeur à l'école et tout ça, mais j'ai une question de la dernière chance à vous poser.

– Judy, je vais me mettre de mauvaise humeur si je revois cette bague ici.

– Je ne l'ai pas sortie de la journée, dit

Judy. Vrai de vrai. Je veux juste vous demander comment marche une bague d'humeur. Au nom de la Science, bien sûr.

– C'est un phénomène étrange. On en raffolait quand j'étais enfant, tu sais.

– Sans blague ! s'écria Judy.

– Sans *bague* ! répondit M. Carpo en riant. Allez, montre-la-moi.

M. Carpo tint la bague entre ses doigts.

Judy s'efforça de lui transmettre une pensée. *Mettez la bague, mettez la bague.*

– Les pierres ont leur propre chimie.

*Mettez la bague.*

– Tu sais que nos corps dégagent de l'énergie ?

*Mettez la bague.*

M. Carpo glissa la bague au bout de son index.

– Les cristaux liquides changent de

couleur à mesure que nos corps changent de température. Tu comprends ? Le rouge, par exemple, indique la chaleur.

Ça marchait ! Rouge ! La bague était R-O-U-G-E, *rouge*. Rouge comme *Amour*. Rouge comme *Passion*. Rouge et pas le moindre doute.

– Il fait chaud ici, tu ne trouves pas ?

– Chaud-bouillant, acquiesça Judy. Assez chaud pour faire fondre l'Antarctique.

– Je crains que l'Antarctique ne soit pas près de disparaître, dit M. Carpo, en lui rendant sa bague. Est-ce que j'ai répondu à ta question de la dernière chance ?

– Oui, oui, oui ! s'écria Judy. Merci, Monsieur !

Judy sortit en courant.

Madame M. avait de nouveau du pain

sur la planche. Elle allait prédire l'avenir mieux qu'elle ne l'avait jamais fait. Judy embrassa sa bague d'humeur.

À peine arrivée dans le bus, elle la glissa à son doigt. La bague devint ambre. Ambre signifiait *Stress, Trac*. Elle savait ce qui l'inquiétait : la meilleure prédiction de Judy Moody. Avant de pouvoir la confier à quiconque, elle devait deviner de qui M. Carpo était amoureux. L'affaire était C-O-T-O-N.

@       @       @

Le samedi matin, Judy retourna à la bibliothèque. Elle chercha Lynn, la gentille bibliothécaire avec les boucles d'oreilles en forme de pelles à tarte.

Cette fois, Lynn portait des skate-boards.

– Vous avez changé de boucles d'oreilles ! remarqua Judy.

– Ça m'arrive, répondit Lynn en riant. Qu'est-ce que je peux faire pour toi ?

– Quels sont les livres qui vous disent si une personne est amoureuse ?

– Eh bien, tu sais, ce genre de choses se trouve rarement dans un livre. En général, ça se sent. Au fond de soi.

– Oh, mais c'est pas pour moi ! précisa Judy en passant par tous les tons de rouge. J'essaie de savoir si quelqu'un d'autre est amoureux.

– Ah ! Je vois.

– Il y a un billion de milliards de livres ici. Il doit bien y en avoir un avec des trucs d'amoureux. Tout le monde aime l'amour.

– Laisse-moi réfléchir un instant, dit Lynn. Nous avons des livres de la Saint-Valentin. Et des histoires d'amour.

– Rien avec des potions magiques ?

– Allons voir la collection « Cent façons de... », proposa Lynn.

Elle mena Judy vers le rayon « sentiments » et sortit un livre mauve avec un titre écrit à l'encre argentée : *Comment reconnaître le parfait amour*. Judy l'ouvrit et tourna les pages. Le chapitre cinq était intitulé « Il suffit d'un bol de marc de café ! ».

– Du marc de café ! Fastoche ! Je prends celui-ci ! dit Judy. Merci !

Judy lut le livre en faisant la queue

pour l'enregistrer dans l'ordinateur. Elle le lut en rentrant à pied. Elle le lisait en passant la porte d'entrée de chez elle.

*Autrefois, l'on savait reconnaître un parfait amour en regardant au fond d'une tasse de café.*

Judy fonça vers la cuisine et vida un vieux fond puant de marc de café dans un bol. Sans oublier de prononcer quelques mots magiques : « Am-stram-gram-hippo-potame. De qui M. Carpo est-il amoureux ? ». Elle gardait les yeux rivés sur le marc de café.

Ce qu'elle voyait ressemblait à... une poule.

Im-possible ! M. Carpo n'était pas amoureux d'une poule.

Les habitants d'Égypte, eux, lisaient dans des flaques d'encre.

Judy alla chercher une bouteille d'encre sur le bureau de l'entrée. En versant l'encre dans un autre bol, elle s'aperçut surtout qu'elle salissait tout. Non seulement ça, mais elle avait fait sur son T-shirt une tache en forme d'Antarctique. Personne n'était amoureux de l'Antarctique.

*Posez un plat sur une table et mettez-y vingt et une épingles de sûreté.*

Celui-là, elle l'oublia. Sûres ou pas sûres, elle n'avait pas vingt et une épingles.

*Placez un morceau de gâteau de mariage sous votre oreiller et rêvez de la personne que vous allez épouser.*

Du gâteau de mariage ! Mais où allait-elle trouver du gâteau de mariage ?

*Prenez un réveil et une brosse à cheveux.*

Une brosse à cheveux ? Judy n'avait encore jamais rencontré une brosse sympathique. Et puis quel rapport entre une brosse à cheveux et le parfait amour ? Toutes ces histoires d'amour étaient bien compliquées !

*Découpez vingt-six carrés de papier, un pour chaque lettre de l'alphabet. Posez les lettres de l'alphabet à l'envers dans un bol d'eau. Les lettres qui se retournent épèleront le nom de la personne que vous aimez.*

Un bol d'eau. Des lettres. Judy entoura le paragraphe au crayon ! Ça serait facile de piéger M. Carpo avec ce test-là !

*Appuyez un pépin de pomme contre votre front et récitez les lettres de l'alphabet. Le pépin de pomme tombera à la première lettre du nom de votre parfait amour.*

Un pépin de pomme. Ça aussi, c'était

faisable ! Elle dessina des étoiles tout autour de celui-là.

*Allumez une bougie. Si la cire tombe à gauche, une femme est amoureuse. Si elle tombe à droite, un homme est amoureux.*

CANON !

Judy prépara un pense-bête :

# une prédiction
# de non-fiction

Judy arriva la première dans la salle de classe de CM1 lundi matin.

– Judy, tu veux bien distribuer des pastels à chacun ? demanda M. Carpo.

– Pour quoi faire ?

– Nous allons tout écrire au pastel aujourd'hui.

– Mais pour quoi ? insista Judy.

– Pour changer !

– Je préfère les feutres.

M. Carpo fronça les sourcils.

– J'ai rien dit.

– J'adore l'odeur des pastels, pas toi ? demanda M. Carpo.

Judy se dépêcha de distribuer les pastels-non-feutres. Ensuite elle demanda à M. Renifleur-de-Pastels si elle pouvait tenter une expérience scientifique sur son bureau.

Elle posa, près de son pot à crayons, un bol d'eau où flottaient vingt-six lettres en papier.

Elle n'en pouvait plus d'attendre de voir quelles lettres se retourneraient. Bientôt, elle, Madame M., connaîtrait le nom de l'amour secret de M. Carpo ! Elle ne serait plus Madame M. comme Malaise.

Finies les prédictions bidon, à la noix de coco.

Pendant l'heure de sciences, Judy regarda les lettres flotter à l'envers dans le bol d'eau. M. Carpo semblait intarissable sur le sujet des nuages cumulus. Judy dessina des nuages de coton avec son pastel Bleu Alizé. Elle dessina des lambeaux de nuages. Des nuages en forme de cœur et de pastels.

Sitôt le cours de sciences terminé, Judy se précipita vers le bureau de M. Carpo. Plein de carrés de papier s'étaient retournés ! Mais les lettres – écrites au feutre – s'étaient diluées et effacées dans l'eau. Plus une seule n'était lisible !

– Alors cette expérience ? demanda M. Carpo.

– Un échec, dit Judy. Un fiasco complet.

– Réessaie. La recherche scientifique nécessite du temps.

Sans doute, songea Judy. Mais cette fois, elle utiliserait un pépin de pomme.

❧      ❧      ❧

Judy mangea la pomme pour son goûter. À l'heure de la récréation, elle trouva M. Carpo dans la cour en train de discuter avec Rocky et Frank.

– M. Carpo, demanda-t-elle, vous voulez bien m'aider avec une autre expérience ?

– Ce que je ne ferai pas pour la Science !

– Mettez ce pépin sur votre front. Ensuite récitez l'alphabet.

– Ri-go-lo ! s'écria Frank.

– Vous allez le faire ? siffla Rocky.

– J'ai comme l'impression que tout ça n'est pas hautement scientifique, dit M. Carpo.

Il colla le pépin sur son front et commença à réciter l'alphabet. « A, B, C, D, E, F, G, H, I,… » Tous les enfants riaient.

– C'est une blague ? demanda M. Carpo.

– Il ne fallait pas vous arrêter ! cria Judy. Il n'y a plus qu'à recommencer dès le début !

Le pépin tomba cette fois dès la lettre C…

C, pensa Judy. Mmm ! C comme Carpo.

– Alors ? s'inquiéta M. Carpo.

– On verra, répondit Judy. La recherche scientifique nécessite du temps.

– J'ai été heureux de pouvoir y participer. Rentrons maintenant. N'oubliez pas que c'est un grand jour aujourd'hui. La classe de CM1-B reçoit une invitée spéciale.

– La Dame aux Pastels ? demanda Frank. C'est aujourd'hui ?

– Ne me dis pas que tu avais oublié ? lui dit Judy. M. Carpo n'a que des pastels dans le plafond depuis une semaine.

Mais qui s'intéressait à des pastels ? Les pastels étaient pour les bébés de maternelle. Elle avait des choses plus adultes à méditer. Des choses sérieuses. Comme l'A-M-O-U-R, l'*amour*.

Toute la classe de CM1 s'y mit : on nettoya le tableau et ramassa les bouts de papiers qui traînaient sous les chaises ; certains élèves s'occupèrent de nourrir le poisson rouge, d'autres vidèrent la corbeille et gommèrent les marques de crayons sur leurs pupitres. M. Carpo voulait une salle impeccable, rutilante.

– C'est la première fois qu'on fait tout ça pour un invité, murmura Frank.

– À qui le dis-tu ! acquiesça Judy. Comme si les invités allaient regarder dans la poubelle !

– C'est elle, tu crois ? l'arrêta Frank en montrant une dame qui frappait à la porte.

On aurait entendu une mouche voler

quand la porte de la classe CM1-B s'ou-vrit.

– Les enfants, commença M. Carpo, je vous présente une amie très chère, Mlle Cinno. Mlle Cinno est écrivain et artiste, comme vous le savez, et elle vient nous voir depuis New York pour nous parler de son livre *Les Pastels ne se mangent pas.*

Applaudissements généraux. La Dame aux Pastels ressemblait à un pastel. Elle portait un haut jaune citron et une jupe dont on aurait dit un tableau. Elle avait les cheveux frisés, courts comme un gar-çon et un foulard multicolore noué autour de la tête. Elle portait même des boucles d'oreilles en forme de pastels. Mais le plus fort, c'était la cire de pastel orange fondue sur ses bottes !

Mlle Cinno présenta son livre sur la fabri-

cation des pastels. Un livre de *non-fiction*, expliqua-t-elle. *Non-fiction* était le contraire de *fiction*. Tout ce qui est vrai, *authentique.*

Mlle Cinno était non-vieille (jeune). Elle était non-laide (jolie). Et non-ennuyeuse (intéressante). Elle leur raconta l'histoire des pastels depuis leur création cent ans plus tôt. Leur révéla la recette secrète de fabrication des pastels : cire, pigments de couleur et poudre. Et leur fit une démonstration en allumant une bougie et en mélangeant la cire fondue à de la poudre rouge.

– Un peu comme quand vous incorporez la farine à la pâte d'un gâteau, expliqua Mlle Cinno.

Mlle Cinno leur raconta qu'un jour elle avait rencontré le personnage célèbre de la série Capitaine Kangourou au Musée des Pastels à New York. Authentique.

Elle parla aussi de la Machine à Gober des Pastels. Une grosse machine qui savait trier les pastels et rejeter les mauvais, ceux qui étaient cassés ou grumeleux.

Mlle Cinno avait même créé son propre pastel.

– Lequel ? demanda la classe.

– Citrouille-au-Clair-de-Lune, dit-elle en montrant un pastel orange qui allait avec ses bottes. M. Carpo m'a un peu aidée à le créer.

Elle se tourna vers lui avec un sourire Étincelles-d'étoiles.

– Parmi les nouveaux, il y a aussi Clémentine Volcanique, Banana-Mania et Aubergine.

Aubergine était *bien* une couleur ! Stink avait raison !

– Il y a un pastel brocoli ? demanda Judy.

– Pas encore, mais pourquoi pas ! répondit Mlle Cinno. Et puis, il y a mon préféré : Majestueuse Montagne Mauve.

– CANON ! s'écria Judy.

Majestueuse Montagne Mauve ! C'était aussi bien que Mauve : *Extase. Petit nuage.*

– Le pastel préféré de M. Carpo est Vermillon.

– Autrement dit Rouge, précisa M. Carpo.

Rouge ! Judy se redressa comme un président en état d'alerte maximale.

– J'allais oublier Croustillant-au-Fromage ! dit Mlle Cinno en exhibant un pastel couleur de fromage gratiné. On a envie de le croquer tellement il est beau ! Mais on le laissera à la Machine à Gober des Pastels.

La classe se tordit de rire.

– À vous maintenant, intervint M. Carpo. L'un de vous a-t-il une idée de nom de pastel ?

– Marron-Gant-de-Baseball ! dit Frank.

– Rose Cochon ! cria Jessica Finch

– Gadoue ! gloussa Brad.

– Moody Blues ! lança Judy.

À la fin, Mlle Cinno leur proposa de poser des questions.

– Combien de temps faut-il pour fabriquer un pastel ? demanda Jessica Finch.

– Environ quinze minutes.

– Et pour écrire un livre ? voulut savoir Rocky.

– Beaucoup plus ! Il m'a fallu près d'un an.

– Qui a inventé les pastels ? George Washington ? s'enquit Frank.

– En réalité, répondit Mlle Cinno, on doit le premier pastel à deux hommes nommés Binney et Smith. Un pastel noir. Mais la marque Crayola a été fondée par la femme de M. Binney, Alice – professeur comme M. Carpo.

– D'autres questions ? demanda M. Carpo.

Judy agita sa main en l'air.

– J'ai une remarque, pas une question.

– Oui ? dit Mlle Cinno.

– Vous avez été vraiment non-ennuyeuse.

– Merci Judy. Quel compliment !

Tout le monde applaudit la Dame aux Pastels à la fin de sa présentation.

– Très bien, les enfants, dit M. Carpo.

Mlle Cinno a apporté des pastels pour chacun d'entre vous. Je vais vous demander de vous mettre en ligne et de venir les chercher. Ensuite, vous retournerez dessiner à vos pupitres.

Judy fit la queue pour son pastel. C'est là qu'elle remarqua la BOUGIE ! Toute la cire de la bougie de Mlle Cinno avait coulé d'un côté. Du côté gauche.

Mais alors ! Si M. Carpo était amoureux, la bougie aurait coulé du côté *droit*. Le côté gauche voulait dire qu'une *femme* était amoureuse.

Judy observa la Dame aux Pastels plus attentivement. M. Carpo lui tendait un pastel Rouge Vermillon. Mlle Cinno, elle, lui souriait comme s'il s'était brusquement transformé en une espèce de prince séduisant ou quelque chose.

Ou quelque chose… ? *Bing* ! Mais bien sûr ! C'était ça ! Mlle Cinno était amoureuse ! La coulée de bougie le prouvait. Judy le constatait de ses propres yeux. Et Cinno commençait avec un C. Comme l'avait prédit le pépin de pomme.

Judy Moody venait, enfin, de faire une prédiction de non-fiction ! M. Carpo était amoureux de la Dame aux Pastels ! La Dame aux Pastels était amoureuse de M. Carpo. *Tout portait à le croire.*

# Majestueuse Montagne Mauve

Judy était d'humeur à partager sa découverte avec le monde entier. Elle la raconta à Frank Pearl. À Rocky et à Stink et à tous les passagers du bus. Elle mit Maman et Papa au courant en arrivant à la maison. Elle la raconta même à Jessica Finch. Elle annonça à tout le monde sa meilleure prophétie, sa prédiction de non-fiction : « Madame M. prédit que… ta-ratata ! M. Carpo et la Dame aux Pastels sont amoureux ! »

Le lendemain matin, toute l'École Primaire Virginia Dare bourdonnait. Non, vraiment !? Était-ce possible ? Judy Moody avait-elle réussi à prédire l'avenir ? Comment le savait-elle ? Fallait-il interroger M. Carpo ?

Ce matin-là, la classe de CM1-B était à peu près aussi calme que du pop-corn dans une casserole.

– Je vous trouve bien agités ce matin, commenta M. Carpo.

– On voudrait vous poser une question, s'aventura Judy, en ajoutant trois marques de dents à son crayon.

– Oui, oui, oui, dirent-ils tous en chœur.

– Eh bien, avant de répondre à votre question, j'ai moi-même une grande nouvelle à vous annoncer. C'est un secret, mais je crois qu'il est temps de vous mettre dans la confidence.

*Scrounch, scrounch.* Judy mâcha la gomme de son crayon.

– Mlle Cinno, l'artiste que vous avez rencontrée hier…

Judy faillit s'étrangler sur sa gomme ! La classe entière ne respirait plus. Le pop-corn s'était tu.

– J'espère que vous avez apprécié sa présentation et que vous avez tous appris quelque chose aussi bien sur la fabrication des pastels que sur la conception d'un livre.

*Mord, mord. Scrounch.*

– Je vous ai dit que Mlle Cinno était une amie très chère. Et je suis très heureux que vous ayez fait sa connaissance car Mlle Cinno et moi sommes fiancés ! Nous allons nous marier ! Et vous êtes tous invités au mariage.

– Un mariage !

– Mmm, du gâteau !

– Je peux venir ?

– Quand ?

– Vous resterez toujours notre maître ?

Les questions fusaient de toutes parts.

– Est-ce que vous aurez beaucoup de petits pastels chez vous ? demanda Jessica Finch.

– Et ils s'appelleront comment ? Carpo-Cinno ? demanda Frank, riant comme un bossu.

Judy n'essayait même plus de retenir sa joie.

– Je le SAVAIS !

Elle bondit sur sa chaise. Son crayon tout mâchonné vola à l'autre bout de la pièce. C'est tout juste si elle ne se mit pas à danser là, au beau milieu de la classe.

– Judy Moody l'avait prédit ! cria Frank Pearl. Elle avait raison !

– Elle le savait depuis hier ! dit Rocky. Elle nous l'a annoncé dans le bus.

– Elle m'a appelée pour me le dire ! confirma Jessica Finch.

Tout le monde se tourna vers Judy.

– C'est vrai ! Elle nous l'a dit ! Elle le savait ! Elle l'a prédit sans se tromper !

– Vraiment Judy ? demanda M. Carpo.

– C'est de la *non-fiction,* confirma-t-elle.

– Comment le savais-tu ? Le secret me semblait pourtant bien gardé.

Judy passa en revue chacun de ses indices. La bague d'humeur rouge. Le pépin de pomme. La cire de bougie. Mais c'était surtout le sourire géant de M. Carpo en regardant Mlle Cinno. Et les étincelles dans les yeux de Mlle Cinno quand elle leur montra le pastel Citrouille-au-Clair-de-Lune.

Elle aurait pu dire que c'était grâce à la bague d'humeur. Ou de la transmission de pensée. Que Madame M. comme Moody avait vu l'avenir. Comme Jeane Dixon, la Célèbre Voyante Américaine, sans les œufs. Mais Judy venait de comprendre que certaines choses se savent. Au plus profond de soi. Et qu'elles ne s'expliquent pas.

– Comment je le sais, est un secret, dit Judy.

❧    ❧    ❧

Judy Moody avait réussi à prédire l'avenir.

Aussitôt rentrée à la maison, elle courut dans sa chambre, ouvrit sa boîte à dents de bébé et sortit sa bague d'humeur. Elle la glissa à son doigt. Ferma les yeux. Retint sa respiration. Compta jusqu'à huit, son chiffre préféré. Elle pensa à des choses mauves : des plâtres mauves et des ailes de libellules, des malabars au raisin et des bagues d'humeur qui n'avaient rien à voir avec la vermine-d'eau-croupie.

Judy ouvrit les yeux.

Noir ! La bague d'humeur était noire

comme de la suie. Noire comme une tache d'encre porte-malheur. Noire comme une mauvaise humeur.

Comment pouvait-elle être noire alors qu'elle était aux anges ? Minute ! La bague d'humeur changeait de couleur. Mais, si ! Sous ses yeux. La bague d'humeur virait au mauve ! Majestueuse Montagne Mauve ! Vrai de vrai ! Elle, Judy Moody, était en *Extase, Petit nuage !*

M. Carpo avait expliqué que chacun jouait un rôle dans son propre avenir, et que l'avenir lui souriait. Judy allait désormais prendre son avenir en main ; d'ailleurs, autant commencer tout de suite.

Elle sortit un crayon non-grognon et écrivit un peu de non-fiction dans son carnet de non-devoirs.

Projets d'avenir de Judy Moody

Devenir un Médecin médecin

Cesser de me faire embêter par Stink

M'habiller pour un mariage chic...

M'habiller chic pour un grand mariage

Peut-être écrire un livre (pas sur des pastels !)

Apprendre à épeler tortillon et zigzag correctement

Éviter la case Antarctique

Peindre ma chambre en Majestueuse Montagne Mauve.

L'avenir était là, à portée de main. Et s'il y avait une chose dont Judy était certaine à 100%, c'est qu'elle avait encore plus d'une humeur dans son sac.

# Table des matières

# Dans la collection
## Judy Moody